reloj de cuentos

a Rut y María

DIRECCIÓN GENERAL DE PUBLICACIONES

CIDCLI, S. C.

Primera edición, México, 1984.
ISBN 968-494-010-6

Texto:
Berta Hiriart
Ilustraciones:
Claudia de Teresa

EN
DE CA

UNDÍA
AVIDA
ALINA

Una noche Catalina despertó de repente, con el corazón latiéndole a mil por hora. La oscuridad era casi total, sólo se escurría por los maderos de su ventana una luz coloradita que le hizo saber que estaba amaneciendo. Se dio cuenta de que lo que la había despertado era toda una colección de ruidos que llenaban la casa. Se quedó quieta, aguantando la respiración para poder oír mejor: pasos en la cocina, voces en la calle, puertas que se abrían y se cerraban. —¡Mamá! —llamó, pero su voz sonó tan débil que se confundió con todos los otros ruidos de la casa. —¡Mamá! —repitió, haciendo un esfuerzo por gritar.

Enmedio de la noche, Catalina distinguió las pintas blancas del delantal de su abuela que se acercaba. —Ya, ya —dijo la abuela—, mamá ha salido pero aquí estoy yo.

Catalina sabía que había llegado el momento del que su mamá le había hablado tanto.

—¿Qué pasa, abuela? ¿Ya va a nacer?

—Sí, sí, ya se fueron a la clínica —respondió la abuela.

—¿Y cuándo van a regresar?

—Si todo sale bien, hoy mismo en la tarde. Y ahora, a dormir, que estas no son horas para estar todavía despierta.

La abuela cobijó a Catalina, le dio un beso en la punta de la nariz y ya estaba por salir, cuando su nieta la llamó de nuevo:—Abuela, ¿ya no se puede devolver al niño?

La mujer se rio de buena gana y Catalina pudo mirar el brillo de sus dientes de oro, lo que la hizo acordarse de su propio diente flojo y comenzar a menearlo con la lengua.

—Qué cosas se te ocurren —dijo la abuela—, claro que no.Cuando un niño llega a este mundo ya no se le puede devolver. ¿A dónde quieres que se vaya el inocente?—, y caminó hacia la otra pieza riendo todavía.

—No cierre usted la puerta —pidió Catalina.

Desde su cama, la niña miró cómo su abuela
encendía la lámpara de la cocina y se sentaba a
bordar una más de las camisitas para el bebé. Eran
lindas las costuras que su abuela hacía para los recién
nacidos, con sus encajes y sus florecitas bordadas.
También a Catalina le hizo una docena de camisas
cuando iba a nacer, pero de eso Catalina ya no se
acordaba, por ello sentía cierta tristeza al mirar a la
abuela. "Ya sólo piensan en el niño", se decía a sí
misma. Y mientras repasaba todas las cositas que
habían preparado para él, comenzaba a adormilarse
en el suave calor de sus cobijas. Pero apenas entraba

14

a un sueño más profundo, se le venían pesadillas horribles a la cabeza.

—Abuela, tengo sed —dijo Catalina, más que porque realmente tuviera sed, por distraerse de las feas imágenes de sus sueños.

—Ya duérmete, Cata —respondió la abuela.

A Catalina le dieron ganas de preguntar a su abuela por qué ella se quedaba despierta, pero no se atrevió. La luz que se colaba por las rendijas era cada momento más amarilla.

—No puedo dormir, la sed no me deja.

—Bueno, pues creo que no va a quedar más remedio que comenzar el día. Ven Cata, vamos a tomarnos un tecito.

Catalina fue abriendo las ventanas, que eran tres en total, y por cada ventana iba entrando un poco de luz de la mañana y también los primeros sonidos callejeros: el repiqueteo de las campanas, los llantos de los recién nacidos, uno que otro ladrido y algunas voces.

—Ándale, Cata, ¿qué tanto piensas? —dijo la abuela, mientras se peinaba sus largos cabellos blancos y miraba a su nieta calentarse las manos con el vapor del té de yerbabuena que le había preparado. —Apúrate que tenemos mucho quehacer. No le va a gustar a tu hermano encontrar una casa con tanto tiradero. Ándale, tú encárgate de los trastes, mientras yo doy una buena trapeada.

Estaba Catalina lavando los platos y las ollas cuando comenzó a dolerle la panza, pero no como duele cuando se han comido demasiados cacahuates,

sino con ese dolorcito que da la preocupación. Solamente otra vez había sentido esa cosa tan rara: el primer día de clases. Se acordó de aquel día, cuando iba camino a la escuela con su mamá, y de las ganas que tenía de que algo pasara, algo que le ayudara a no tener que entrar. Lo que no lograba recordar era cómo se había aliviado del dolor. Sólo sabía que no le había durado mucho tiempo.

Unas voces que venían de la calle interrumpieron sus recuerdos. Catalina salió corriendo, sin siquiera cerrar la llave del agua, pero solamente encontró a una vecina que se encaminaba a los lavaderos con sus hijos pequeños.

—Buenos días —saludó Catalina, desilusionada de que no fueran su mamá y su hermano.

—Buenos, Cata —contestó la mujer—, ¿qué fue la criatura, niño o niña?

—No sé, no han regresado todavía —dijo Catalina, que con lo nerviosa que estaba ya no podía ni hablar.

—A mediodía vengo a ver si hay noticias.

Catalina se quedó recargada en la puerta, viéndolos alejarse. "Ojalá que sea niña", pensó. "Los niños son muy peleoneros".

Y quién sabe cuánto tiempo se quedaría distraída con sus pensamientos. El hecho es que de pronto oyó que su abuela le gritaba desde la cocina:

—¡Catalina, mira nada más lo que has hecho!

Cuando Catalina volvió la cabeza, vio con horror que el fregadero estaba convertido en una cascada y que la cocina estaba completamente inundada.

—Perdóname, abuela —y, por más que quiso, no

pudo detener las lágrimas que le salían tan
irremediablemente como el agua que corría por toda
la casa.

—Bueno, bueno, no es para tanto —la consoló la
abuela—, vamos a terminar la limpieza y camino del
mercado nos tomamos una nieve.

Catalina sintió que aquel día era el más largo de su
vida. Incontables veces se asomó al camino por
donde debía llegar su mamá, y a cada rato le parecía
oírla entrar a la casa.

Cuando volvían del mercado, se dieron cuenta de

que la casa no estaba como la habían dejado. Alguien había cerrado las ventanas.

—Ya llegaron —dijo la abuela, mientras apresuraba tanto el paso que, sin darse cuenta, iba dejando un camino de tomates que se caían de la canasta. Catalina, en cambio, avanzó muy despacito, levantó los tomates y se quedó a unos pasos de la puerta, sin saber bien qué hacer. Desde ahí escuchó la voz de su tío, quien contaba que todo había salido a las mil maravillas. Luego oyó a la abuela que decía quedito que Catalina había lloriqueado buena parte del día. Inmediatamente su madre apareció en la puerta. Caminaba con dificultad. Estaba más gorda de lo que Catalina se imaginaba que quedaría después del parto.

—Cata, fue niña —le dijo—. Ven a verla.

Catalina se acercó lentamente, como si su mamá fuera una persona a la que no conocía muy bien, guardó los tomates en la bolsa de su delantal y estiró los brazos hacia ella.

—No te puedo cargar, Cata —le explicó su madre, y con muchos trabajos se sentó en el escaloncito de la entrada para quedar del mismo tamaño que la niña. Catalina reclinó la cabeza en su hombro y aspiró el suave olor a canela de sus trenzas.

Cuando entraron a la casa, Catalina casi se desmaya de la impresión. Habían cambiado de lugar todos los muebles. Su cama había quedado en un rincón del cuarto y en la mesa que ella ocupaba para hacer la tarea estaba la canasta del bebé. Por todos lados había pañales, ollas con agua caliente y quién sabe cuántas cosas más. Catalina hizo un esfuerzo enorme para que nadie notara lo mal que se sentía. Caminó hacia la cuna y se paró sobre la punta de sus zapatos para poder mirar a su hermana.

"Es demasiado chica", fue lo primero que pensó mientras movía con la lengua su diente flojo, "y además es aburrida". Y en efecto, era tan pequeñita y estaba tan quieta que parecía más una muñeca de trapo que un ser humano; estaba envuelta como

tamal y casi lo único que se le veía era su cabecita peluda. Catalina alargó la mano y tímidamente acarició los cabellos desordenados de su hermana. "Son como de conejo", pensó. Y poco a poco se iba aliviando del dolor de panza y sintiéndose terriblemente cansada.

Le costó varios meses acostumbrarse a la idea de que tenía una hermana pero, finalmente, porque además en esos casos no queda otro remedio, aprendió a vivir con ella.